OH, LE BEAU MANTEAU POUR ZORRO!

CARTER GOODRICH

SARBACANE ★ PARIS ★ DEPUIS 2003

Pour Sabina, avec tendresse, gratitude et affection

Traduit de l'anglais (US) par Emmanuelle Beulque ⋆ Pour la présente édition : © 2014 éditions Sarbacane, Paris. ⋆ www.editions-sarbacane.com ⋆ facebook.com/fanpage.editions.sarbacane ⋆ Pour l'édition originale parue sous le titre : *Zorro gets an outfit !* ⋆ Text and Illustrations Copyright © 2012 by Carter Goodrich ⋆ Published by arrangement with Simon & Schuster Books for Young Readers ⋆ An imprint of Simon & Schuster Children's Publishing Division ⋆ 1230 Avenue of the Americas, New York, NY 10020 ⋆ All rights reserved. No part of this book may be reproduced or transmitted in any form or by any means, electronic or mechanical, including photocopying, recording or by any information storage and retrieval system without permission in writing from the Publisher. ⋆ Loi n° 49 956 du 16 juillet 1949 sur les publications destinées à la jeunesse. ⋆ Dépôt légal : 1er semestre 2014. ⋆ ISBN : 978-2 84865-658-8 ⋆ Imprimé en Chine.

Tout avait bien commencé ce matin-là,
pour Zorro et Mister Bud.

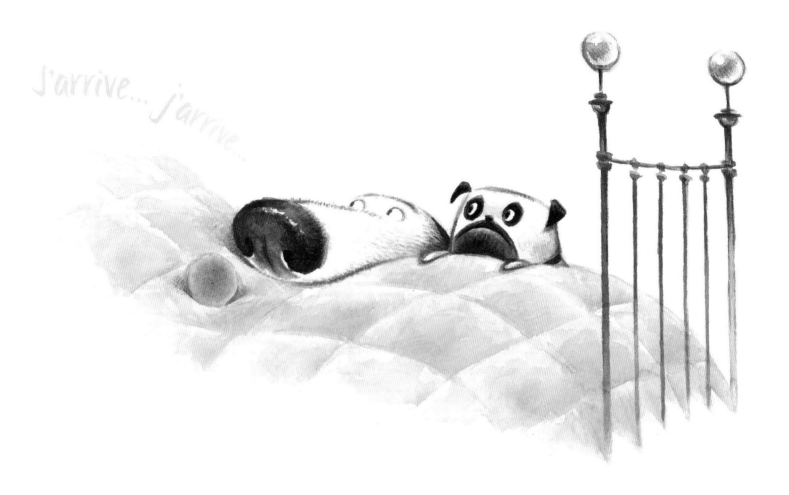

ILS AVAIENT MANGÉ LEURS CROQUETTES
ET ÉTAIENT FIN PRÊTS POUR LA PROMENADE.

QUAND SOUDAIN...

Zorro, j'ai une
surprise pour toi...

UN CONTRETEMPS ?

ALLEZ...
ON Y VA !

Regarde le beau manteau...
Juste à ta taille !

N'aie pas peur, essaie-le !

ZORRO SE SENTIT AFFREUSEMENT MAL.

IL REFUSA D'ALLER PROMENER.

Zorro... allons...

Doucement, Mister Bud !
Au pied !

EDDIE ET LES AUTRES SE MOQUÈRENT DE LUI.

MÊME FIL SE MIT À RIGOLER.

AU PARC, MISTER BUD ESSAYA DE LUI REMONTER LE MORAL.

MAIS RIEN N'Y FIT.

C'EST ALORS QU'APPARUT UN PETIT NOUVEAU.

IL ÉTAIT SUPER RAPIDE !

IL ÉTAIT SUPER HABILE !

ET IL PORTAIT UN HABIT...

... TOUT COMME ZORRO.

ET DONC ILS FIRENT
LA COURSE.

C'EST DART QUI GAGNA.

ZORRO ARRIVA DEUXIÈME.

ET MISTER BUD FINIT TROISIÈME.

MAIS DÉJÀ, C'ÉTAIT L'HEURE DE RENTRER.

SUR LE CHEMIN DU RETOUR, ZORRO ESSAYA DE CONSOLER
MISTER BUD D'ÊTRE ARRIVÉ TROISIÈME.

C'EST PEUT-ÊTRE
PARCE QUE TU
N'AS PAS
DE MANTEAU !

EN FAIT, MISTER BUD SE MOQUAIT BIEN
D'ÊTRE ARRIVÉ DERNIER.

ZORRO AVAIT RETROUVÉ LE SOURIRE...

... ET LA VIE POUVAIT REPRENDRE COMME AVANT !

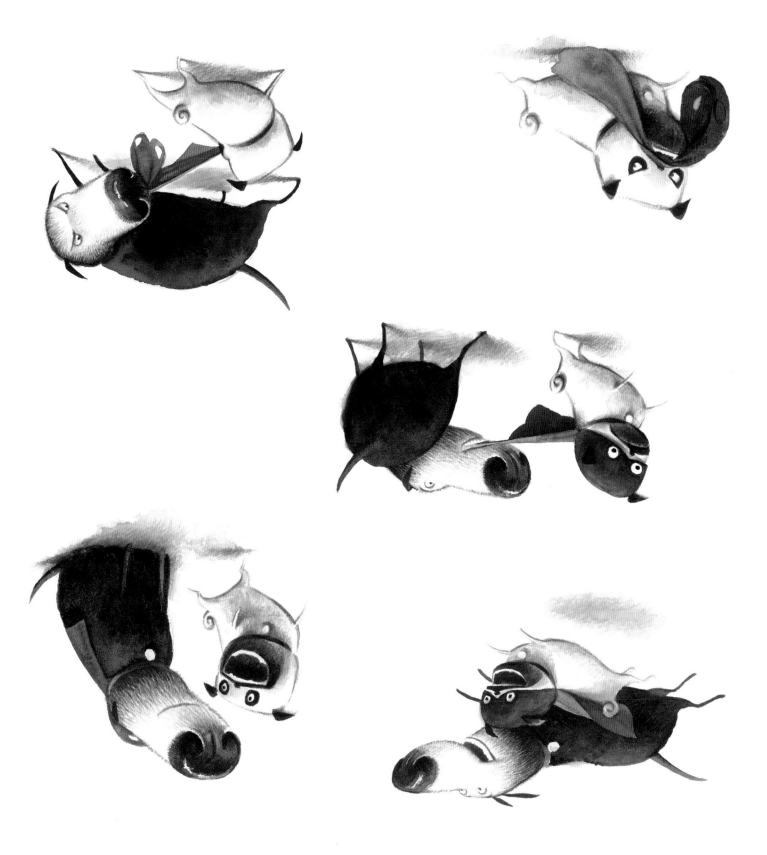